COLECCIÓN ESPIRITUAL

COLECCIONES

Colección Ejecutiva
Colección Superación Personal
Colección New Age
Colección Salud y Belleza
Colección Familia
Colección Literatura Infantil y Juvenil
Colección Juegos y Acertijos
Colección Manualidades
Colección Cultural
Colección Espiritual
Colección Humorismo
Colección Aura
Colección Cocina
Colección Compendios de bolsillo
Colección Tecniciencia
Colección con los pelos de punta
Colección VISUAL
Colección Arkano
Colección Extassy

S. S. Juan Pablo II

No temas

actualidad editorial

SELECTOR
actualidad editorial

Doctor Erazo 120   **Tels.**   **588 72 72**
Colonia Doctores   **Fax:**   **761 57 16**
México 06720, D. F.

NO TEMAS
Título en inglés: *Fear Not*

Traducción: Merari Fierro
Diseño de portada: Alejandra Trejo Maldonado

ISBN (español): 970-643-139-X

Primera edición: Octubre de 1998

Contenido

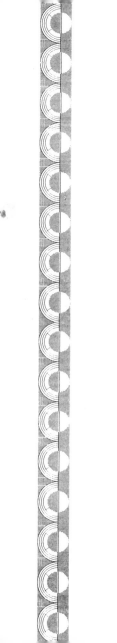

Desde el principio de mi pontificado, no he cesado de repetir: "¡No teman! ¡Abran, abran las anchas puertas que conducen a Dios!"

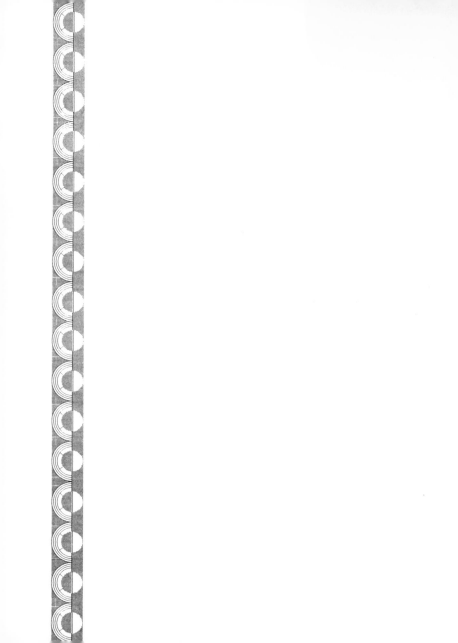

La relación con nosotros mismos

No tengas miedo de ser santo

Es necesario ser muy humilde para que la Gracia Divina opere en nosotros, transformando nuestras vidas y brindándonos los frutos de la bondad.

La tradición apostólica de la Iglesia, como realidad viviente y no como mera reliquia del pasado, se convierte en una parte consciente de nuestra visión del destino.

Pero ¿por qué teme el hombre?
Quizá lo hace porque, precisamente, al negar a su Dios,
queda solo a fin de cuentas,
metafísicamente solo... solo en
su interior.

El principal cimiento del valor y la dignidad humana, del significado de su vida, ¡es el hecho de haber sido creado a imagen y semejanza de Dios!

La razón más importante por la que el hombre debe vivir, respetar y proteger la vida, "proviene directamente de Dios".

El Cristiano existe en el mundo, pero no le pertenece al mundo... Su conducta, sus hábitos de vida, su manera de pensar, de tomar decisiones, de evaluar las cosas y situaciones... tienen lugar bajo la luz de las palabras de Cristo, que son un mensaje de vida eterna.

El Cristiano debe vivir desde la perspectiva de la eternidad.

La certeza de que nos espera una salvación eterna, debe ser motivo suficiente para fortalecer a los Cristianos contra las tentaciones, para darles el don de la paciencia ante las tribulaciones de la vida: "Si a mí me han perseguido, también os perseguirán a vosotros" (Juan, 15:20); se trata de un gran honor.

En la actualidad, la Iglesia llama al Cristiano a la oración, a la penitencia y al ayuno; llama a que nos despojemos de nuestro ser más íntimo, tanto interior como exterior. El Cristiano ha de presentarse ante Dios reconociendo aquello que es en realidad. Ha de redescubrirse a sí mismo.

Y el país hacia el cual nos dirigimos es la nueva vida del Cristiano. Se trata de una vida pascual que sólo puede actualizarse por medio del "poder" y la "gracia" de Dios.

El hombre debe tener en mente que su vida en este mundo transcurre entre el bien y el mal. La tentación consiste en dirigir hacia el mal todo lo que el hombre puede y debe dirigir hacia el bien.

El número y el carácter multivalente de nuestras tentaciones se basa en la triple concupiscencia de que nos habla la *Primera Epístola* de San Juan: "puesto que todo lo que hay en el mundo —la concupiscencia de la carne, la concupiscencia de los ojos y la jactancia de las riquezas— no proviene del Padre, sino del mundo".

(I, JUAN 2:16)

Para San Juan, el "mundo" del que el Cristiano debe alejarse no es la creación misma, la obra de Dios que se confió al dominio del hombre, sino el símbolo y el signo de todo aquello que separa de Dios, es decir, lo que es opuesto al "Reino de Dios".

Cristo no halaga a quienes lo escuchan. No halaga al hombre con una semblanza de libertad "irrestricta". Él dice: "y conoceréis la verdad, y la verdad os hará libres".

(Juan, 8:32)

De esta manera, Él nos muestra que la libertad no se otorga al hombre sólo como un regalo, sino que también constituye una obligación.

El hombre no debe permitir que la verdad (interior) le sea arrebatada bajo la falsa apariencia de una "libertad ilimitada"... El hombre no dejará de interpretar el grito de su conciencia como el grito de la verdad, una Verdad que lo supera... que lo convierte en hombre y decide sobre su humanidad misma.

El espíritu de la penitencia y su práctica, nos estimulan para alejarnos sinceramente de todo lo superfluo que tenemos.

No temas aceptar a Cristo en tu trabajo cotidiano.

No temas aceptarlo a Él en tu "mundo".

Entonces este mundo tuyo será realmente humano; mucho más humano. Sólo el Hijo de Dios puede hacer que nuestro "mundo humano" sea plenamente humano.

Uno debe siempre aceptar el llamado, uno debe escuchar, uno debe recibir, uno debe medir sus propias fuerzas y res ponder: "Sí. Sí." No temas...

Debemos recuperar la conciencia del pecado original que se ha convertido en la raíz de todo pecado sobre la tierra, que se ha convertido en duradero cimiento y fuente del pecado del hombre.

La lucha entre el reino del mal, gobernado por el espíritu del maligno, y el Reino de Dios no ha cesado... Está lejos de haber terminado. Solamente ha entrado en una nueva etapa, ésta sí, definitiva. En dicha etapa la lucha sigue su curso y las nuevas generaciones de la historia humana son su objetivo.

El buen ejemplo no se relaciona únicamente con las acciones exteriores, sino que penetra para construir el más precioso y activo de los regalos que podemos ofrecer a los demás, a saber, la adhesión a nuestra propia vocación Cristiana.

En el centro mismo de la misión encomendada a Cristo por el Padre, encontramos al hombre nuevo. El hombre "abierto al Padre". El hombre abierto al Padre es el hombre que vive su humanidad en toda su dimensión.

El perdón de los pecados supone reconocimiento y confesión de los mismos. El reconocimiento y la confesión suponen "el esfuerzo de vivir en la Verdad y el Amor". Esto significa poner en marcha la acción del "poder de la Verdad y el Amor", que conforman al hombre nuevo y transforman al mundo.

La contradicción elimina la línea que separa el bien y el mal; suele llamar humanismo a lo que en realidad es pecado.

Amados hermanos, el deseo más sincero y verdadero que puedo ofrecerles es éste: "Conviértanse en santos, lleguen a la santidad pronto".

Alegrémonos de *vivir* en estos tiempos nuestros, y comprometámonos *valientemente* con el plan que la Providencia lleva a cabo misteriosamente.

Los tiempos cambian... Pero los principios fundamentales, el orden sacramental sobre todo, permanecen inmutables.

En el bautismo se nos otorga un nombre; lo llamamos nuestro "nombre Cristiano". En la tradición de la Iglesia, el nombre es siempre el de un héroe, el nombre de uno de los héroes que se cuentan entre lo seguidores de Cristo.

Permitamos ser guiados por la mano del Señor, porque Él desea lograr la Redención hoy, valiéndose de nuestros propios medios, de tus medios.

La Redención se lleva a cabo hoy, porque la parábola de la buena semilla y las hierbas siempre es actual y se desarrolla todos los días. La Beatitud es siempre cotidiana.

Ustedes deben prepararse con un sentido de gran responsabilidad, de profunda y convencida seriedad.

Toma en serio tu educación, especialmente la que se refiere al conocimiento filosófico, bíblico, teológico, a la estética y a la disciplina; así podrás consagrarte total y alegremente a Jesús y a las almas.

"Nuestro ser interno se renueva cada día".

(Cor., 4:16)

Cuando Dios llama, cuando Dios convierte, también nos asigna una misión.

Ama la virtud antes que nada; comprende intensamente a la sociedad contemporánea en que vivimos.

El regalo del Espíritu Santo

El deseo de aceptar el Evangelio es, de hecho, una manifestación de los oficios de la gracia en el alma. "El viento sopla donde quiere..." (Juan, 3:8). La libertad del espíritu se encuentra con la libertad del hombre para confirmarlo en su totalidad.

"Así como el Padre me ha enviado, así os envío yo". Sopló hacia ellos y dijo: "Reciban al Espíritu Santo". ¿Has recibido al Espíritu Santo? ¿Lo has aceptado?

El Espíritu actúa de manera distinta en cada uno de nosotros, siempre en armonía con nuestra personalidad individual y con las características que hemos heredado del hogar paterno.

Los legos son llamados a crecer espiritualmente, para convertirse en "trabajadores compañeros del Espíritu Santo". Con sus dones, el Espíritu renueva, rejuvenece y perfecciona el trabajo de Cristo.

En tanto que el hombre es un espíritu encarnado, esto es, un alma que se expresa en un cuerpo, un cuerpo informado por un espíritu inmortal, el hombre está llamado a amar en dicha totalidad unificada.

Al confiar en el poder del Espíritu Santo, nos disponemos a realizar una nueva tarea... con fe inquebrantable, con esperanza renovada y con un amor por demás profundo.

El amor de Dios ha llegado a nosotros en la persona del Espíritu Santo, el Espíritu de la Verdad... El Amor crece por medio de la Verdad; la Verdad llega al hombre por medio del Amor.

La relación con los demás

...En el nombre de Dios: Respeten, protejan, amen y sirvan a la vida, ¡a toda vida humana! Sólo obrando así encontrarán la justicia, el desarrollo, la verdadera libertad, la paz y la felicidad.

Acepta la gran virtud del hombre. Acepta la dimensión del hombre que está abierta a toda la humanidad... Acepta el misterio en que todos vivimos desde que Cristo nació... Dios recibe satisfecho al hombre por medio de Cristo.

Al hombre... no es permisible humillarlo; no está permitido odiarlo.

Muchas veces, en el transcurso de su enseñanza, Jesús fue invitado a departir por hombres y mujeres. Él aceptaba sus invitaciones. Se relacionaba con ellos, compartía su mesa y hablaba.

Jesucristo "puede ser, hoy en día, el Huésped de todas las personas y todas las comunidades" que lo inviten, valiéndose de una nueva vía, de una nueva vía sacramental y mística.

Los Cristianos deben unirse en defensa de sus valores espirituales y morales, en contra de la presión del materialismo y la laxitud moral.

"...Dad culto al Señor, Cristo, en vuestros corazones, siempre dispuestos a dar respuesta a todo el que os pida razón de vuestra esperanza. Pero hacedlo con dulzura y con respeto. Mantened una buena conciencia...".

(I, Pedro, 3:15-16)

Estas palabras son la regla de oro para las relaciones y contactos que el Cristiano ha de tener con sus conciudadanos de distinta fe religiosa.

Nuestro Dios es un Dios de compasión y consuelo. Y Él espera que nosotros tomemos las medidas necesarias para prevenir, remediar y remover el sufrimiento y la enfermedad.

Yo también conozco, personalmente, lo que significa estar enfermo y permanecer en el hospital durante largo tiempo. Y también sé que es posible consolar y dar apoyo a otros que comparten la misma carga de confinamiento y sufrimiento. Sé lo muy necesario que es orar por los enfermos y mostrarles nuestra amorosa preocupación.

Especialmente ustedes que se han enfrentado a la enfermedad, por favor unan la intensidad de sus sufrimientos y sigan de de cerca la ruta de mis viajes. Ustedes pueden hacer mucho por mí.

A decir verdad, no encontramos la palabra "Amor" (Dios es Amor) en el relato de la creación. No obstante, la historia repite con cierta regularidad la frase "Dios vio lo buena que su creación era".

Somos guiados por medio de estas palabras en pos de una visión del amor como motivador divino de la creación, casi como la fuente de la que este acto surge: de hecho, sólo el Amor promueve el bien y se deleita en lo bueno.

(Cor., 13)

¿Es posible creer que no hay necesidad de generosidad y servicio desinteresado en nuestros días? Incluso cuando en una región no existen hambrientos en sentido literal, siempre hay muchos que se sienten solos y abandonados, tristes y desesperados, sin el calor de un ideal que no los desengañe. ¿Quién les traerá paz y alegría, una sonrisa y esperanza?

Un momento de verdad nos hace pensar en la relación con "nuestro Padre". Se trata de un momento que reestablece el orden que debe reinar entre hermanos y hermanas... "Os doy un mandamiento nuevo: Que os améis los unos a los otros".

(Juan, 13:34)

¡Todos somos el buen samaritano! ¡Debemos serlo por medio de la vocación! ¡Del deber! El buen samaritano vive por la caridad. San Pablo dice: "Esto nos convierte en embajadores de Cristo".

(2 Cor., 5:20)

La gracia de Dios es posible practicando la auténtica caridad, misma que debe hacer brillar todo ese Amor de que Dios ya nos ha hecho objetos.

Estemos listos para enriquecernos con la Gracia de la Resurrección, liberándonos de los falsos tesoros. Esos bienes materiales que comúnmente no nos son necesarios, representan, para millones de seres humanos, condiciones esenciales para la superviviencia.

El acudir a Dios por medio de la oración es como acudir a la humanidad misma. Al ser exigentes con nosotros mismos y generosos con los demás, damos expresión a nuestra conversión, tanto en lo concreto como en lo social.

El segundo mandamiento es como el primero y entre ambos conforman uno nuevo. Debemos amar a los otros con el mismo Amor que Dios pone en nuestro corazón, con el mismo Amor que Él nos brinda. Debemos superar los obstáculos que se interponen entre nosotros y nuestros vecinos: de no ser así, no amaremos a Dios y a nuestros hermanos como es debido.

Nuestras relaciones con los vecinos son de capital importancia. Y cuando digo "vecinos" obviamente me refiero a los que viven cerca de nosotros, en la familia, en el vecindario, en la aldea, el pueblo o la ciudad.

"Vecinos" también significa aquellos con quienes trabajamos, los que sufren, los enfermos, los solitarios, los que son verdaderamente pobres.

Compartir es un deber que nadie con buena voluntad, sobre todo quienes somos discípulos de Cristo, podemos evadir.

Cristo requiere que nosotros nos abramos a los demás. Pero, ¿hacia quienes? ¡Hacia quienquiera que esté a nuestro lado en este momento! Este llamado de Cristo no puede aplazarse hasta que un futuro indefinido llegue, hasta que un pordiosero aparezca y extienda la mano.

"La caridad del buen ejemplo" es, sobre todos los demás, el más apreciado a los ojos de Dios. El buen ejemplo es necesario porque pertenecemos a una familia con fe, cuyos miembros son independientes; cada uno necesita ayuda y apoyo de los demás.

La moral y las leyes son condiciones fundamentales para el orden social. Los estados y las naciones se construyen sobre la ley, sin la cual perecen.

Permitamos que todas las comunidades del Pueblo de Dios, desde que sale el sol hasta que éste desciende, se unan... ¡Dejemos que todos los hombres de buena voluntad estén con nosotros! ¡Este es el día que el Señor ha preparado para nosotros!

La victoria de la vida es la victoria del bien sobre el mal. Esta certeza Cristiana de la victoria sobre el temor a la muerte, conduce a un futuro más humano y justo. Debemos tomar medidas conducentes para lograr un futuro libre para los hijos de Dios.

Defiendan con fuerza la dignidad y los derechos del hombre contra las opresiones y las vejaciones de los poderosos... Procuremos la verdadera reconciliación entre los hombres.

Sólo después de someternos a tal "transformación" valiéndonos del poder de la Verdad, y del Amor, debemos emprender la transformación del mundo. Este es un proceso que comienza en la dimensión personal y tiende a la dimensión comunitaria.

Los valores Cristianos son: lealtad, honestidad, fidelidad a las promesas otorgadas y a la palabra dada, la calidad sagrada de la familia, trabajo duro y generosidad con los pobres. Estos valores objetivamente son una preciosa herencia.

No concibamos las demandas de la verdad, la conciencia y la dignidad como una elección "política". Se trata de demandas supremas y, por tanto, no podemos renunciar a ellas.

Cada uno de nosotros forma parte del plan general de Dios. "Una actitud exclusivamente personal y privada respecto de la salvación no es Cristiana"; pues nace de una mentalidad equivocada en lo fundamental.

Tu vida no puede ser vivida en el aislamiento. Al decidir el curso que daremos al futuro debemos tener en mente la responsabilidad que un Cristiano tiene para con los demás.

Seamos miembros activos del Pueblo de Dios; reconciliémonos los unos con los otros y dediquémonos a la labor de la justicia, pues así llegará la paz a la tierra.

El mensaje que predicamos no tiene que ver con la sabiduría de este mundo, sino con "las palabras de vida" que parecen tontas a los hombres poco espirituales.

Cuando nos estremece la visión del mal que se extiende por el universo, con toda la devastación que produce, no debemos olvidar que tal embestida de las fuerzas del pecado serán vencidas por el poder salvador de Cristo.

Espiritualidad del trabajo

Acude a la santidad... Esta vocación es universal y nos concierne a todos los bautizados, a todo Cristiano. Se trata de algo muy personal, relacionado con el trabajo, con la profesión que ejercemos. Son cuentas rendidas por los talentos que cada persona ha recibido —sin importar que se haga buen o mal uso de ellos.

El mundo confiado por el Creador al hombre, reserva siempre una labor para cada sociedad y nación, pues toda sociedad y nación, en cualquier lugar de la tierra, es "un mundo de trabajo".

"Mundo de trabajo" significa, al mismo tiempo, "mundo humano".

Las nuevas técnicas de comunicación ayudarán a crear mayor comprensión de los acontecimientos, incrementando el intercambio de ideas.

Amen la verdad dedicándose cuidadosamente a la labor de su perfeccionamiento.

En el ámbito del conocimiento y la experiencia, ustedes deben ser verdaderamente competentes en su campo específico de acción, para ejercitar, con su presencia, este apostolado testimonial, este compromiso con los demás. Así podrán consagrarse a la vida que la Iglesia les ha impuesto.

La vocación Cristiana es esencialmente apostólica. Sólo en esta dimensión de servicio al Evangelio, el Cristiano encontrará la plenitud de su dignidad y responsabilidad.

El hombre sabe ya cómo superarse a sí mismo infinitamente. Hallamos prueba suficiente de ello en los esfuerzos que muchos genios creativos hacen para encarnar los valores trascendentales de la belleza y la virtud, en obras de arte y pensamiento duraderas. Estos valores son, momentáneamente, percibidos como expresiones del absoluto.

La relación con Dios

...La vida, especialmente la vida humana, pertenece solamente a Dios: por esta razón, quien ataca a la vida humana, ataca en cierto modo a Dios mismo.

La salvación de Dios es el trabajo de un Amor mucho mayor que el pecado del hombre... El Amor, por sí solo, puede consolidar al hombre en el bien; en el inalterable y eterno bien.

La verdad, como Jesucristo, siempre puede ser negada, perseguida, combatida, herida, martirizada, crucificada; pero siempre revive y asciende y no puede ser extirpada del corazón humano.

Cristo, condesciende a mirarnos: ¡mira el deseo de tantos corazones! Tú que eres el Señor de la historia, el Señor de los corazones humanos, ¡ven a nosotros! Jesucristo, eterno Hijo de Dios, ¡sé en nosotros!

Jesús mismo se nos da; se ha asignado la tarea de cuidar el alma de los niños porque, por medio de Jesús, y sólo por su virtud, el Reino de Dios comienza y se desarrolla en el hombre.

Y cuánto pierde el hombre cuando no ve su propia humanidad en Cristo. Cristo vino al mundo para revelar al hombre plenamente y para hacerle conocer su vocación. "Pero a todos los que lo recibieron, les dio el poder de hacerse hijos de Dios".

(Juan, 1:12)

La creación es un regalo, porque el hombre aparece en ella, y él, "a imagen y semejanza de Dios", es capaz de comprender el significado de ese regalo, en el surgimiento de la existencia a partir de la nada. Y el hombre es capaz de responder al Creador con el lenguaje de esta comprensión.

¿No es el temor que agobia al hombre moderno algo que, "en sus raíces más profundas, surge de la muerte de Dios"?

No me refiero a la muerte en la Cruz, sino a la muerte de Dios que el hombre provoca en sí mismo, particularmente en el curso de la última etapa de nuestra historia, la muerte de Dios en su pensamiento, en su trabajo.

¿De qué sirven todos los sistemas filosóficos, sociales, económicos y políticos? Vivimos, por tanto, en una époco de enorme progreso material, que también es la época de la negación de Dios, acto hasta ahora desconocido. Tal es la imagen de nuestra sociedad.

La gran tragedia de la historia es que Jesús no es conocido por algunos y, en consecuencia, no es amado o seguido por ellos.

"¡Ustedes conocen a Cristo!" ¡Saben quién es Él! ¡Tiene entre manos un gran privilegio! Siempre sepan ser dignos y conscientes de Él.

"Creo en Dios, Padre Omnipotente, Creador del Cielo y la Tierra." Esta es la primera verdad de fe, el primer artículo de nuestro Credo. Las creaturas son testimonio de Dios, su Creador.

Debemos ser hombres y mujeres de fe, como Abraham; hombres y mujeres que dependan más del Verbo que de sí mismos, que dependan de la gracia y el poder de Dios. Jesús, Nuestro Señor, mientras vivió en la tierra, reveló está vía personalmente a sus discípulos.

Debemos vivir en intimidad con Él, abrirle nuestros corazones, nuestras conciencias; ...la gracia debe estar "sobre nosotros"... Por tanto, es necesario abrirnos simplemente a Él.

Ser libre significa ganarse los frutos de la libertad actuando con verdad. Ser libre también significa saber cuándo y cómo someterse a la verdad, no someter a la verdad a nosotros mismos, a nuestros caprichos y voluntad, a nuestros intereses del momento.

Si es verdad que el pecado, en cierto sentido, aleja al hombre de Dios, también es cierto que el remordimiento nos abre toda la majestuosidad y grandeza de Dios, su paternal cariño a la conciencia humana.

El hombre permanece alejado de Dios mientras no pronuncie las palabras: "Padre, he pecado contra ti". Sobre todo, el alejamiento se acentúa cuando tales palabras están ausentes de su conciencia, de su corazón.

Cristo es el alfa y el omega, el principio y el final de todo. Todas las épocas le pertenecen. Gloria eterna a Él. Que la luz de Cristo, la luz de la fe, siga brillando... ¡que ninguna oscuridad la extinga!

El Día de la Resurrección se confirmaron las palabras de Cristo, la verdad de que el Reino de Dios había llegado a nosotros, la verdad sobre toda su misión mesiánica.

Son pecado en nuestros corazones, las injusticias que cometemos, el odio y las divisiones que nutrimos, todas estas cosas hacen que no amemos a Dios con toda el alma, con toda nuestra fuerza... Dejemos que el Señor nos haga sus vecinos y nos salve con su Amor.

Dado que ustedes han sido criados en compañia de Cristo, "dejen que su corazón apunte a las realidades más altas y sutiles", las que están escritas en la estructura misma del hombre; el cual vive la humanidad en toda su dimensión sólo cuando es capaz de superarse con el poder de la Verdad y el Amor.

Así que debemos dirigirnos al Señor Jesucristo con la presteza de la fe viva, con la fuerza del amor ardiente.

En el lenguaje de la Biblia, el corazón significa la parte interior del hombre; se refiere particularmente a la conciencia.

Si usted es bueno, responsable, dedicado al bienestar de los demás, leal sirviente de los Evangelios, entonces Jesús mismo tendrá una buena impresión. Pero si, por el contrario, usted es débil y carece de inspiración, entonces estará arrojando una sombra sobre su verdadera identidad, y no le rendirá el honor correspondiente.

Todos los que reciben la palabra del Evangelio, todos los que se nutren del cuerpo y la sangre de Cristo, en la Eucaristía, bajo el aliento del Espíritu Santo, profesan: "Jesús es el Señor".

(1 Cor., 12:3)

Qué importante es, para los hombres de fe, mientras toman parte en la Eucaristía, asumir una actitud personal de ofrecimiento. No basta con escuchar la palabra de Dios, ni con rezar en común. Es necesario que asuman el sacrificio de Cristo y lo hagan suyo, ofrendando sus dolores, sus dificultades, sus juicios y, más aún, ofreciéndose a sí mismos; listos a unirse con Él para lograr que el regalo llegue hasta el Padre, fundidos en un sólo presente que Cristo ofrece al Creador.

No debemos deshonrar la palabra de Dios. Debemos esforzarnos por extender las buenas nuevas y adaptarlas a las siempre cambiantes condiciones del mundo. Pero, ante todo, debemos ser valientes, debemos resistir la tentación de alterar su contenido o reinterpretarla para hacer que se ajuste al espíritu de la época presente.

El Misterio de Cristo, Hijo de Dios hecho hombre, iluminó los más profundos aspectos de la existencia humana, definitivamente, con su Muerte y Resurrección.

El misterio del hombre, en insuperable tensión entre su finitud y su deseo de infinito, obliga a que el hombre lleve consigo una pregunta constante por el significado último de las cosas.

Capítulo 5

En tanto que somos testigos de Dios, no somos propietarios que podamos hacer lo que queramos con las revelaciones. Somos responsables de un regalo que debe transmitirse fielmente.

124

La educación y el entrenamiento de la conciencia en el espíritu de la justicia, avanzan junto con las iniciativas individuales sin dejar de desarrollar al ser humano.

La cultura científica de hoy requiere de Cristianos con una fe madura, con apertura hacia el lenguaje y las preguntas que se hacen los sabios, sin perder, eso sí, un sentido jerárquico del conocimiento que difiere en sus aproximaciones a la Verdad.

Como Cristianos, creemos que el significado último de la vida y sus valores fundamentales son revelados por Jesucristo. Es Él —Jesucristo, Dios y Hombre verdadero— quien dice a ustedes: "Pueden dirigirse a mi como Maestro y Señor, pues eso es precisamente lo que soy".

(Juan, 13:13)

Las almas siempre frescas unen sus sufrimientos con el sacrificio de Dios en una ofrenda común, que supera el tiempo y el espacio y abraza a la humanidad entera y la salva.

Lumen ad revelationem gentium —una luz reveladora para los gentiles.

La muerte en la Cruz no extinguió la luz de Cristo. No fue oprimido por la pesada lápida... Así que tenemos acceso a esa luz, el signo de Jesucristo crucificado y resurrecto.

La Divinidad desea ser visible
hoy... y estar presente por
medio de nuestro amor.

No olvidemos que el Amor de
Dios por su gente, el Amor
de Cristo por su Iglesia, es eterno y no puede ser vulnerado.

No temas
Tipografía: *Kaleidoscopio*
Negativos: *Reprofoto S.A.*
Esta edición se imprimió en octubre de 1998, en
Impresión Arte, Oriente 182 #387,
México, D.F. 15530.

11/09 (12) 7/09
10/12 (18) 9/12
10/14 (22) 4/13
1/18 (24) 8/15